CRACYR NADOLIG
HENRi HELYNT

Addasiad Siân Lewis
Darluniau gan Tony Ross

Cyhoeddwyd am y tro cyntaf ym Mhrydain yn 2006
gan Orion Children's Books
adran o The Orion Publishing Group Ltd
Orion House
5 Upper St Martin's Lane
London WC2H 9EA
dan y teitl *Horrid Henry's Christmas Cracker*.

Cyhoeddwyd gan CAA, Prifysgol Aberystwyth
(www.caa.aber.ac.uk).

Noddwyd gan Lywodraeth Cymru.

ISBN 978 1 84521 521 7

Golygwyd gan Delyth Ifan
Dyluniwyd gan Adran Ddylunio Prifysgol Aberystwyth
Argraffwyd gan Y Lolfa

CYNNWYS

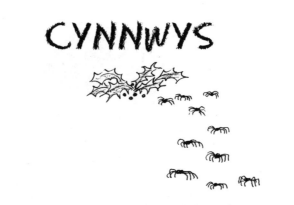

1

DRAMA NADOLIG HENRI HELYNT

**Diwrnod oer tywyll ym mis Tachwedd
(37 diwrnod tan y Nadolig)**

Disgynnodd Henri Helynt yn swp ar y carped ac erfyn ar y cloc i gyflymu. Dim ond pum munud arall tan mynd adre! Wedyn sleifio i'r cwpwrdd i nôl creision. Roedd e'n gallu'u blasu nhw'n barod.

Roedd Miss Hen Sguthan yn rwdlian am ginio ysgol (iych), y pistyll dŵr newydd bla bla bla, gwaith cartref mathemateg bla bla bla, drama Nadolig yr ysgol bla bla….be? Be ddwedodd Miss Hen Sguthan…drama Nadolig?

1

Eisteddodd Henri Helynt i fyny.

'Mae hon yn ddrama newydd sbon yn llawn canu a dawnsio,' eglurodd Miss Hen Sguthan. 'A bydd y plant hŷn a'r plant iau yn cymryd rhan gyda'i gilydd eleni.'

Canu! Dawnsio! Dangos ei hun o flaen yr ysgol i gyd! Flynyddoedd yn ôl, pan oedd Henri yn nosbarth y babanod, roedd e wedi chwarae rhan yr wythfed ddafad yn nrama'r geni, ac wedi cipio'r babi o'r preseb a gwrthod ei roi'n ôl. Gobeithio bod Miss Hen Sguthan wedi anghofio am hynny.

Achos rhaid i fi chwarae'r brif ran, meddyliodd Henri. Rhaid i fi! Pwy ond Henri allai ganu a dawnsio'n ddigon da i fod yn Joseff?

'Dwi eisiau bod yn Mair,' gwaeddodd pob merch yn y dosbarth.

'Dwi eisiau bod yn ddyn doeth!' gwaeddodd Huw Haerllug.

'Fi!' sgrechiodd Dewi Newydd, Bleddyn Bolgi, Bedwyr Breuddwyd a Hywel Heini.

' – Alun,' meddai Miss Hen Sguthan. 'O ddosbarth Miss Annwyl.'

Teimlodd Henri Helynt fel petai dwrn wedi'i daro yn ei stumog. Alun Angel? Ei frawd *bach*? Alun Angel yn seren y sioe?

'Dyw hi ddim yn deg!' udodd Henri Helynt.

Edrychodd Miss Hen Sguthan arno'n gas.

'Henri, ti yw...' Edrychodd Miss Hen Sguthan ar ei rhestr. O nid darn o borfa, plîs, nid darn o borfa, gweddïodd Henri Helynt, a suddo'n is. Roedd Miss Hen Sguthan am wneud ffŵl ohono unwaith eto, yn doedd? Unrhyw beth ond darn o –

'– ceidwad y llety.'

Ceidwad y llety! Eisteddodd Henri i fyny a gwenu o glust i glust. Dyna ddwl o'n i, meddyliodd. *Ceidwad y llety* yw seren

y sioe, mae'n rhaid. Dychmygodd Henri'i
hun yn sychu gwydrau, taflu dartiau,
ac arllwys diodydd mawr ewynnog o
Swigopop i'w gwsmeriaid hapus tra'n
canu cân am bleserau cadw gwesty. Yna,

fe gâi ddadl hir i egluro pam doedd dim
lle yn y llety, ac o'r diwedd cau'r drws yn
nhrwyn Bethan Bigog ar ôl ei gwthio i
ffwrdd. Waw! Wedyn cân arall, falle. Roedd
'Deg Potel Werdd' yn siwtio i'r dim. Gallai
ganu a dawnsio a gwthio'i ffrindiau llai
talentog oddi ar y wal ar yr un pryd. Am
hwyl!

Estynnodd Miss Hen Sguthan dudalen i Henri. 'Dy sgript,' meddai.

Edrychodd Henri'n syn. Rhaid bod tudalennau ar goll.

Darllenodd:

(Joseff yn curo. Ceidwad y llety'n agor y drws.)

JOSEFF: Oes lle yn y llety?
CEIDWAD: Nagoes.

(Ceidwad y llety'n cau'r drws.)

Trodd Henri Helynt y dudalen drosodd.

Roedd y dudalen yn wag. Daliodd y dudalen rhyngddo â'r golau.

Doedd dim sgrifen ddirgel. Dim byd o gwbl.

Dim ond un llinell oedd ganddo yn y ddrama gyfan. Un llinell fach ddiflas. Llai na llinell! Dim ond un gair. 'Nagoes.'

Ble oedd ei gân? Ble oedd y ddawns gyda'r poteli a gwesteion y llety? Pam oedd e, Henri Helynt, actor gorau'r dosbarth (a'r byd, hyd yn oed) yn cael un gair yn unig yn y ddrama Nadolig? Roedd hyd yn oed yr asynnod yn canu cân.

Ac yn waeth fyth, ar ôl iddo fe ddweud ei *un* gair, roedd Alun Angel a Bethan Bigog yn rwdlian am hydoedd am breseb a dynion doeth a bugeiliaid a defaid, ac yna'n canu deuawd, tra oedd e, Henri, yn loetran y tu ôl i'r gwair yng nghanol darnau o laswellt.

Roedd hynny mor annheg!

Fe ddylai fod yn seren y sioe, nid ei fwydyn stiwpid o frawd. Pam ar y ddaear oedd Alun wedi cael rhan Joseff ta beth? Roedd e'n actor ofnadwy. Allai e ddim canu, dim ond gwichian fel llyffant wedi'i sblatio. A pham oedd Bethan yn chwarae rhan Mair? Fyddai dim diwedd ar ei sŵn a'i brolio.

AAAAAAAAAAAAAAAAAAAAAAA!

'Am gyffrous!' meddai Mam.

'Am wych!' meddai Dad. 'Ein bachgen bach ni'n seren y sioe.'

'Da iawn, Alun,' meddai Mam.

'Rydyn ni mor falch ohonot ti,' meddai Dad.

Gwenodd Alun Angel yn wylaidd.

'Wrth gwrs nid fi yw'r seren *go iawn*,' meddai. 'Mae pob rhan yn bwysig, hyd yn oed y darnau o borfa a cheidwad y llety.'

Ymosododd Henri Helynt. Roedd e'n siarc Mawr Gwyn yn barod i ladd.

'AAAAAAAAAAAAAAAAAAA!' gwichiodd Alun. 'Mae Henri wedi 'nghnoi i!'

'Henri! Paid â bod yn gas!' cyfarthodd Mam.

'Henri! Cer i dy stafell!' cyfarthodd Dad.

Aeth Henri i'r llofft gan stampio'i draed a chlepian y drws. Sut gallai e ddioddef y cywilydd o chwarae rhan ceidwad y llety, pan oedd Alun yn seren? Doedd dim amdani ond gorfodi Alun i gyfnewid rhannau. Mi ffeindia i ffordd o berswadio Alun, meddyliodd Henri, ond roedd perswadio Miss Hen Sguthan yn anoddach o lawer. Doedd Miss Hen Sguthan sbeitlyd a diflas byth yn gwneud beth oedd Henri eisiau.

Beth am dwyllo Alun i adael y sioe? Ieee! Ac yna, yn garedig iawn, cynnig cymryd ei le.

Ond yn anffodus doedd 'na ddim sicrwydd y byddai Miss Hen Sguthan yn rhoi rhan Alun i Henri. Mwy na thebyg y byddai'n dewis Gordon Gofalus yn lle. Roedd e mewn twll.

Ac yna fe gafodd Henri Helynt syniad
gwych, anhygoel. Pam na feddyliodd e
am hyn yn gynt? Os na allai chwarae
rhan fawr, beth am wneud ei ran *e*'n fwy?
Er enghraifft, gallai *sgrechian* 'Nagoes.'
Byddai *hynny*'n tynnu sylw. Neu floeddio
'Nagoes', a chwffio Joseff. Dwi'n geidwad
ffyrnig, meddyliodd Henri Helynt, ac yn
casáu gweld gwesteion yn dod i'r llety.
Yn enwedig rhai drewllyd fel Joseff. Neu
beth am weiddi 'Nagoes!', cwffio Joseff,
a dwyn ei eiddo? Dwi'n lleidr-geidwad,
meddyliodd Henri. Neu leidr sy'n *esgus*
bod yn geidwad. Byddai hynny'n gwella'r
ddrama. Neu beth am fod yn lleidr-
geidwad o Ffrainc,
gweiddi '*Non*', a
dwyn oddi ar Mair
a Joseff? Neu *môr-*
leidr-geidwad
o Ffrainc, sy'n

11

gweiddi '*Non*', clymu Mair a Joseff a
gwneud iddyn nhw gerdded y styllen?
Hmmm, meddyliodd Henri Helynt.
Doedd ei ran e ddim mor fach, wedi'r
cyfan. Erbyn meddwl, ceidwad y llety *oedd*
y cymeriad pwysicaf.

Rhagfyr 12
(dim ond 13 diwrnod tan y Nadolig)

Roedd yr ymarferion wedi para am
byth. Roedd Henri'n treulio'r rhan fwyaf
o'i amser yn swp ar ei gadair. Doedd e
erioed wedi gweld drama mor ddiflas.
Wrth gwrs roedd e wedi gwneud
ei orau glas i'w gwella.

'Alla i ychwanegu dawns?'
gofynnodd Henri.

'Na,' atebodd Miss Hen
Sguthan yn swta.

'Alla i ychwanegu
cân fach, fach, fach?'

12

gofynnodd Henri'n daer.

'Na!' meddai Miss Hen Sguthan.

'Ond ydy'r ceidwad yn *hollol siŵr* bod y llety'n llawn?' meddai Henri. 'Dwi'n meddwl y dylwn i fynd i edrych a –'

Hoeliodd Miss Hen Sguthan ei llygaid coch ffyrnig ar Henri.

'Un gair arall, Henri, ac fe gei di newid lle â Heledd,' chwyrnodd Miss Hen Sguthan. 'Darnau o laswellt, dewch i roi cynnig arall…'

Iiiiich! Roedd ceidwad y llety a'i un gair yn well na bod yn anweledig y tu mewn i goesau ôl asyn. Ond roedd hyn mor annheg. Dim ond trio helpu oedd e.

Rhagfyr 22
(dim ond 3 diwrnod ar ôl tan y Nadolig!)

Diwrnod y sioe! Doedd dim un lliain sychu llestri ar ôl yn y siopau lleol. Roedd mamau a thadau wedi bod wrthi drwy'r

nos yn gwnïo gwisgoedd ar ras wyllt.
Nawr roedd yr aros a'r ymarfer ar ben.

Safai pawb yn rhes ar y llwyfan y tu ôl
i'r llenni. Roedd Alun a Bethan draw ar
ochr y llwyfan, yn barod i gamu 'mlaen yn
bwysig fel Mair a Joseff.

'Mae'n gyffrous bod mewn drama go
iawn, yn dyw hi, Henri?' sibrydodd Alun.

'NA,' chwyrnodd Henri.

'Pawb yn eu lle ar gyfer y gân gyntaf,'
hisiodd Miss Hen Sguthan. 'Nawr cofiwch,
peidiwch â phoeni os gwnewch chi
gamgymeriad bach: daliwch ati, a
fydd neb yn sylwi.'

'Ond dwi'n dal i feddwl y dylwn i fod yn dadlau, pan fydd Mair a Joseff yn gofyn a oes lle yn y llety,' meddai Henri. 'Dylwn i o leia fynd i edrych —'

'Na!' cyfarthodd Miss Hen Sguthan, a syllu arno'n gas. 'Os clywa i un smic o dy geg di eto, Henri, fe gei di eistedd y tu ôl i'r byrnau gwair, ac fe gaiff Jâms chwarae dy ran di. Darnau o laswellt! Sefwch yn rhes gyda'r asynnod! Defaid! Byddwch yn barod i fre…Tudwal? Beth wyt ti, dafad neu ddarn o laswellt?'

'Dim syniad,' meddai Tudwal Tew.

Cerddodd Mrs Lletchwith i flaen y llwyfan. 'Croeso i bawb ohonoch chi, mamau, tadau, bechgyn a merched, i'n drama Nadolig newydd ni, sy ychydig yn wahanol i'n dramâu arferol. Gobeithio y byddwch chi i gyd yn mwynhau'r sioe newydd sbon!'

Gwasgodd Miss Hen Sguthan fotwm y chwaraewr CD. Suodd miwsig drwy'r stafell. Cododd y llenni. Stampiodd y gynulleidfa'u traed a gweiddi 'Hwrê!' Disgleiriodd sêr. Brefodd gwartheg. Gweryrodd ceffylau. Brefodd defaid. Fflachiodd camerâu.

Roedd Henri'n sefyll yn yr esgyll yn gwylio'r bugeiliaid yn gwneud eu dawns Albanaidd. Roedd e'n dal heb benderfynu sut yn union i chwarae'i ran. Roedd cymaint o bosibiliadau. Roedd hi mor anodd dewis.

O'r diwedd, roedd moment fawr Henri

wedi cyrraedd.

Brasgamodd ar draws y llwyfan a sefyll y tu ôl i ddrws caeëdig y gwesty i ddisgwyl am Mair a Joseff.

Cnoc!

Cnoc!
Cnoc!

Camodd ceidwad y llety ymlaen ac agor y drws. O'i flaen roedd Bethan Bigog yn gwenu'n ddwl yn ei gwisg Mair, ac Alun Angel yn edrych yn bwysig iawn yn ei wisg Joseff.

'Oes lle yn y llety?' gofynnodd Joseff.

Cwestiwn da, meddyliodd Henri Helynt. Roedd ei ben yn hollol wag. Roedd e wedi meddwl am gymaint o bethau y *gallai* e ddweud, nes llwyr anghofio beth roedd e *i fod* i'w ddweud.

'Oes lle yn y llety?' gofynnodd Joseff yn uwch.

'Oes,' meddai'r ceidwad. 'Dewch i mewn.'

Edrychodd Joseff ar Mair.

Edrychodd Mair ar Joseff.

Daeth mwmian o'r gynulleidfa.

Wps, meddyliodd Henri Helynt. Roedd e newydd gofio. Roedd e i fod dweud na. O wel, doedd dim troi'n ôl nawr.

Cydiodd y ceidwad yn llewys Mair a Joseff a'u llusgo drwy'r drws. 'Dewch i mewn ar unwaith. Dwi'n ddyn prysur.'

'…ond…ond…mae'r llety'n *llawn*,' meddai Mair.

'Dyw e ddim,' meddai'r ceidwad.

'Ydy, mae e.'

'Dyw e ddim. Fi yw'r ceidwad, felly fi sy'n gwybod. Hwn yw'r llety gorau ym Methlehem. Mae gyda ni deledu ym mhob stafell a gwelyau, a-' tawodd y ceidwad am foment. Beth arall oedd mewn gwesty? '- a chyfrifiaduron!'

Edrychodd Mair yn gas ar y ceidwad.

Edrychodd y ceidwad yn gas ar Mair.

Yn yr esgyll roedd Miss Hen Sguthan yn chwifio'i dwylo'n wyllt.

'Mae'r llety'n edrych yn llawn i fi,' meddai Mair yn bendant. 'Dere, Joseff, fe awn ni draw i'r stabal.'

'Na, peidiwch â mynd fan'ny. Fe gewch chi chwain,' meddai'r ceidwad.

'Dim ots,' meddai Mair.

'Dwi'n dwlu ar chwain,' meddai Joseff mewn llais main.

19

'Ac mae'n llawn dom.'

'Fel ti,' meddai Mair yn swta.

'Paid â bod mor gas, Mair,' meddai'r ceidwad yn llym. 'Eistedd i lawr i orffwys dy gorff blinedig, ac fe gana i gân i ti.' A dyma'r ceidwad yn dechrau canu:

'Deg potel werdd, yn sefyll ar y wal.
Deg potel werdd yn sefyll ar y wal.
Ond os bydd un potel werdd yn disgyn o'r wal dal – '

'OOOOOOOO!' griddfanodd Mair. 'Dwi'n teimlo'r babi'n dod.'

'Alli di ddim aros nes i fi orffen canu?' snwffiodd y ceidwad.

'NA!' bloeddiodd Mair.

Tynnodd Miss Hen Sguthan ei llaw ar draws ei gwddw.

Chymerodd Henri ddim sylw. Rhaid i'r sioe fynd yn ei blaen.

'Dere, Joseff,' meddai Mair ar ei draws. 'Ffwrdd â ni i'r stabal.'

'Ocê,' meddai Joseff.

'Rydych chi'n gwneud camgymeriad mawr,' meddai'r ceidwad. 'Mae gyda ni deledu lloeren a...'

Rhedodd Miss Hen Sguthan i'r llwyfan a gafael ynddo.

'Dioch yn fawr, geidwad. Mae'r cwsmeriaid eraill yn galw amdanoch chi,' meddai Miss Hen Sguthan, gan gydio yn ei goler.

'Nadolig Llawen!' sgrechiodd Henri Helynt wrth gael ei lusgo o'r llwyfan.

Bu tawelwch hir iawn.

'Hwrê!' bloeddiodd modryb fyddar
Bethan Bigog.

Doedd Mam a Dad ddim yn siŵr beth
i'w wneud. Ddylen nhw glapio, neu redeg
i ffwrdd i rywle lle doedd neb yn eu
nabod?

Curodd Mam ei dwylo.

Cuddiodd Dad ei wyneb yn ei ddwylo.

'Wyt ti'n meddwl bod unrhyw un wedi
sylwi?' sibrydodd Mam.

Edrychodd Dad ar wyneb ffyrnig Mrs
Lletchwith. Suddodd i lawr yn ei gadair.
Ryw ddiwrnod fe ddysgai sut i droi'n
anweledig.

22

'Beth o'n i *i fod* i wneud?' meddai Henri
Helynt yn ddiweddarach yn swyddfa
Mrs Lletchwith. 'Nid arna *i* mae'r bai
am anghofio'r gair. Roedd Miss Hen
Sguthan wedi dweud wrthon ni am
beidio â gofidio, os bydden ni'n gwneud
camgymeriad bach, dim ond dal ati.'

Allai e ddim help bod seren newydd yn
y nen.

2

ANRHEGION NADOLIG HENRI HELYNT

Rhagfyr 23
(dim ond dau ddiwrnod ar ôl!!!)

Eisteddai Henri Helynt yn ymyl y
goeden Nadolig yn sglaffio llond bol o'r
losin arbennig gipiodd e'n slei bach o'r
pentwr arbennig oedd i fod cael ei gadw
tan ddydd Nadolig. Ar ôl ei lwyddiant
anhygoel yn nrama Nadolig yr ysgol, roedd
Henri'n teimlo'n falch iawn ohono'i hun,
ac yn fodlon ei fyd.

Roedd Mam-gu, Tad-cu, ei gefnderwyr
mawr Penri Plorod a Ffion Ffyslyd, a'u
babi Carys Cyfog yn dod i aros dros y
Nadolig. Hwrê, meddyliodd Henri Helynt.

25

Byddai raid iddyn nhw i gyd ddod ag anrhegion iddo *fe*. Doedd Anti Gwen Gyfoethog a Prys Pwysig ddim yn dod, diolch byth. Roedden nhw wedi mynd i sgïo. Doedd Henri ddim wedi anghofio'r gardigan erchyll lliw leim gafodd e gan Anti Gwen y llynedd. Ac er ei fod e'n casáu'i gyfnither Ffion, roedd unrhyw un yn well na Prys, hyd yn oed rhywun oedd yn gwichian drwy'r amser ac yn fam i fabi oedd yn taflu i fyny dros bawb.

Rhedodd Mam i mewn i'r stafell fyw. Roedd blawd dros ei ffedog a golwg wyllt ar ei hwyneb. Llyncodd Henri'i gegaid o losin ar ras.

'Nawr 'te, pwy sy am addurno'r goeden?' meddai Mam. Estynnodd focs cardfwrdd yn llawn dop o dinsel a pheli glas ac aur ac arian.

'Fi!' meddai Henri.

'Fi!' meddai Alun.

Rhedodd Henri at y bocs a bachu cymaint o'r peli sgleiniog ag y gallai.

'Dwi am hongian y peli aur,' meddai Henri.

'Dwi am hongian y tinsel,' meddai Alun.

'Paid â dod yn agos at fy ochr i o'r goeden,' hisiodd Henri.

'Does gen ti ddim ochr,' meddai Alun.

'Oes, mae.'

'Does gen ti ddim,' meddai Alun.

'Dwi am hongian y tinsel *a*'r peli,' meddai Henri.

'Ond dwi am hongian y tinsel,' meddai Alun.

27

'Caws caled,' meddai Henri, a hongian y tinsel ar Alun.

'Maaam!' llefodd Alun. 'Mae Henri'n bachu'r addurniadau i gyd! Ac mae e'n hongian tinsel arna i.'

'Paid â bod yn gas, Henri,' meddai Mam. 'Rhanna â dy frawd.'

Lapiodd Alun dinsel glas yn ofalus am y canghennau isel.

'Paid â'i roi e fan'na,' meddai Henri, a'i blycio i ffwrdd. Roedd Alun yn difetha'i gynllun gwych e fel arfer.

'MAAAM!' llefodd Alun.

'Mae e'n difetha 'nghynllun i,' sgrechiodd Henri. 'Dyw e ddim yn gwybod sut i addurno coeden.'

'Ond dwi eisiau'i roi e fan'na!' protestiodd Alun. 'Gad lonydd i 'nhinsel i.'

'Gad ti lonydd i'm stwff i 'te,' meddai Henri.

'Mae e'n difetha 'nghynllun i!'

sgrechiodd Henri ac Alun.

'Dim ymladd, chi'ch dau!' sgrechiodd
Mam.

'Fe ddechreuodd!' udodd Henri.

'Nage!'

'Ie!'

'Dyna ddigon,' meddai Mam. 'Nawr
tro pwy yw hi i roi'r dylwythen ar ben y
goeden?'

'Dwi ddim eisiau'r hen dylwythen
dwp,' llefodd Henri Helynt. 'Dwi eisiau'r
Lladdwr Lloerig yn lle.'

'Na,' meddai Alun. 'Dwi eisiau'r
dylwythen. Rydyn ni wastad yn cael y
dylwythen.'

'Lladdwr!'

'Tylwythen!'

'LLADDWR!'

'TYLWYTHEN!'

Slap
   Slap

   'WAAAAAAA!'

'Rydyn ni'n cael tylwythen,' meddai
Mam yn bendant, 'ac fe wna *i* ei rhoi hi ar
y goeden.'

'NAAAAAA!' sgrechiodd Henri Helynt.
'Pam na allwn ni gael be dwi eisiau? Dwi
byth yn cael be dw i eisiau.'

'Celwyddgi!' gwichiodd Alun.

'Dwi wedi cael digon o hyn,' meddai
Mam. 'Ewch i nôl eich anrhegion a'u rhoi
o dan y goeden.'

Rhedodd Alun i ffwrdd.

Safodd Henri yn ei unfan.

'Henri,' meddai Mam. 'Wyt ti wedi
gorffen lapio dy anrhegion Nadolig?'

Aaaa, meddyliodd Henri Helynt. Be wna i nawr? Roedd e wedi ofni'r foment hon ers wythnosau.

'Henri! Dwi ddim yn mynd i ofyn i ti eto,' meddai Mam. 'Wyt ti wedi gorffen lapio dy anrhegion Nadolig?'

'Ydw!' bloeddiodd Henri Helynt.

Doedd hynny ddim yn hollol wir. Doedd Henri ddim wedi gorffen lapio'i anrhegion Nadolig. Doedd e ddim hyd yn oed wedi dechrau. A'r gwir oedd: doedd Henri ddim wedi gorffen lapio, achos doedd ganddo ddim anrhegion i'w lapio.

Yn bendant, *nid* ei fai e oedd hynny. Roedd e *wedi* prynu ychydig o anrhegion. Roedd Alun yn siŵr o hoffi'r bocs o Sleim Gloyw gwyrdd. Ac os nad oedd e, roedd e'n gwybod i bwy i'w roi. A byddai Mam-gu a Tad-cu a Mam a Dad a Penri a Ffion wedi dwlu ar y bocsys mawr o siocled enillodd Henri yn ffair yr ysgol.

Allai Henri ddim help bod y siocledi
wedi gweiddi arno i'w bwyta bob un. Ta
beth, roedd Mam-gu wedi cwyno ei bod
hi'n ennill pwysau. Byddai'n greulon rhoi
siocled iddi felly. A byddai Penri Plorod
wedi cael mwy a mwy o blorod ar ôl
bwyta siocled. Lwcus bod Henri wedi'i
achub e drwy fwyta'r bocs hwnnw i gyd.

Ac yn bendant nid ar Henri oedd y
bai ei fod wedi rhedeg allan o sleim
wrth ymosod ar y Clwb Dirgel, ac wedi
defnyddio anrheg Alun. Roedd e wedi
bwriadu prynu anrhegion yn eu lle. Ond
roedd e wedi gorfod prynu llwyth o
bethau iddo fe'i hunan, felly pan agorodd
e'i gadw-mi-gei siâp sgerbwd i gael arian
ar gyfer siopa Nadolig, dim ond 35c
roliodd allan.

'Dwi wedi prynu a lapio fy anrhegion *i* i
gyd, Mam,' meddai Alun Angel. 'Dwi wedi
bod yn cynilo fy arian poced ers misoedd.'

'Hwrê i ti,' meddai Henri.

'Henri, gwell rhoi na derbyn,' meddai Alun.

Gwenodd Mam. 'Rwyt ti'n iawn, Alun.'

'Pwy ddwedodd?' chwyrnodd Henri Helynt. 'Mae'n well o lawer gen i *dderbyn* anrhegion.'

'Paid â bod mor gas, Henri,' meddai Mam.

'Paid â bod mor hunanol, Henri,' meddai Dad.

Gwthiodd Henri'i dafod allan. Daliodd Mam a Dad eu gwynt.

'Y bachgen cas,' meddai Mam.

'Gobeithio nad oedd Siôn Corn yn gwylio,' meddai Dad.

'Henri,' meddai Alun. 'Fydd Siôn Corn ddim yn dod ag anrhegion i ti, os wyt ti'n ddrwg.'

AAAAAAARRRR! Ymosododd Henri Helynt ar Alun. Roedd e'n arth lwyd, yn cnoi tamaid blasus.

'AAAAAIIIII!' llefodd Alun. 'Pinsiodd Henri fi.'

'Henri! Cer i dy stafell,' meddai Mam.

'Iawn!' sgrechiodd Henri Helynt, gan stampio i ffwrdd a chlepian y drws. Pam oedd rhaid iddo fe gael y rhieni gwaethaf a'r mwyaf diflas yn y byd i gyd? Yn bendant doedden *nhw* ddim yn haeddu anrhegion.

Anrhegion! Pam na allai e *dderbyn* anrhegion yn unig? Pam o pam oedd rhaid *rhoi*? Roedd prynu anrhegion i bobl eraill yn wastraff o'i arian prin. Bob tro roedd e'n rhoi anrheg, roedd e'n methu prynu rhywbeth iddo fe'i hunan. Ta-ta siocled. Ta-ta comics. Ta-ta Siwpyr-Sleim-Sblatiwr. A hefyd, os oedd e'n prynu anrheg wych, roedd hi'n anodd iawn ei rhoi i rywun arall. Roedd e bron â chrio wrth roi poster y Lladdwr Lloerig i Huw ar ei ben-blwydd. Ac roedd e'n dal i rincian ei ddannedd bob tro roedd e'n gweld Kasim yn cario'i dun bwyd Macs Melltith. Mam oedd wedi mynnu ei fod e'n rhoi'r tun i Kasim.

Nawr roedd e mewn twll. Roedd hi'n Noswyl Nadolig, a doedd ganddo ddim arian, a dim anrhegion i'w rhoi i unrhyw un, p'un a oedden nhw'n haeddu ai peidio.

Ac yna fe gafodd Henri syniad gwych,
anhygoel. Roedd e mor wych, a mor
anhygoel, allai Henri ddim deall pam
na feddyliodd amdano'n gynt. Doedd
neb wedi dweud bod raid i chi *brynu*
anrhegion. *Meddwl* am rywun heblaw
chi'ch hunan, dyna sy'n bwysig, meddai
Mam a Dad. Waw, dechreuodd Henri
feddwl.

Byddai Mam-gu wrth ei bodd yn
darllen comic Macs Melltith. Roedd pawb
yn hoffi Macs. Wedyn ar ôl iddi orffen
mwynhau, gallai Henri gael y comic yn ôl.
Aeth Henri Helynt i dwrio o dan y gwely,
a chael gafael ar gopi diweddar. Ond
beth petai Tad-cu'n cael siom wrth weld
Mam-gu'n cael anrheg mor wych? Gwell
i fi roi bob i un iddyn nhw, meddyliodd
Henri, gan dwrio'n ddyfnach yn y pentwr
a chwilio am un heb ormod o dudalennau

wedi'u rhwygo.

Mam a Dad nesaf. Beth am dynnu llun hyfryd iddyn nhw? Na, byddai hynny'n cymryd hydoedd. Roedd ganddo syniad gwell. Sgrifennu pennill!

Eisteddodd Henri wrth ei ddesg, cydio mewn pensil a sgrifennu:

Annwyl Dad trwyn-hir,
    Paid bod yn sur.
    Fe ddaw Nadolig
cyn bo hir.
    Gyda chariad mawr.
Ie wir!
        Henri

Da iawn, meddyliodd Henri. Da iawn. A doedd e'n costio dim! Nawr am Mam:

Annwyl Mam fach gam,
Rwyt ti'n dew fel jam.
Pen-ôl fel pram
Neu dun o Spam.
Ond paid â phoeni.
Ho ho ho ham
Cariad mawr,
                    Henri

Waw! Roedd hi'n anodd meddwl am eiriau oedd yn odli â *mam*, ond roedd e wedi dod i ben. Ac roedd y geiriau 'ho ho ho' yn gwneud y pennill yn Nadoligaidd iawn. Wrth gwrs, doedd yr '*ham*' ddim yn gwneud synnwyr, ond gyda lwc fyddai Mam ddim yn sylwi ar hynny, am ei bod hi wedi mwynhau gweddill y pennill gymaint. Pan fyddai Henri'n enwog, byddai Mam yn mynnu dangos y pennill arbennig sgrifennodd ei mab iddi i bawb.

Nawr, Ffion. Hmmmm. Roedd hi wastad yn swnian a gwichian am lwch a baw. Beth am sbwnj hyfryd i'r gegin? Neu glwtyn i sychu llanast Carys? Neu fwced i'w roi ar ben Penri Plorod?

Arhoswch funud. Beth am sebon?

Sleifiodd Henri Helynt i mewn i'r stafell 'molchi. Ieee! Roedd bar hyfryd o sebon yn gorwedd yn segur yn y ddysgl ar ymyl y bath. Roedd e wedi cael ei ddefnyddio unwaith neu ddwy, mae'n wir, ond ar ôl rhwbio'r sebon â'i fysedd, byddai'r bar fel newydd. Erbyn meddwl, roedd hon yn anrheg mor dda, fe allai Penri a Ffion ei rhannu.

Gan chwibanu'n hapus, fe lapiodd Henri Helynt y sebon mewn papur sgleiniog â lluniau carw. Roedd e'n glyfar tu hwnt. Pam nad oedd e wedi gwneud hyn o'r blaen? Ac roedd clwtyn hyfryd o dan y sinc. Dyna'r union beth i gadw Carys yn dawel.

Rhywbeth i Alun, a dyna fe wedi datrys y broblem anrhegion. Darn o gwm cnoi, wedi'i ddefnyddio gan un person yn unig? *Collage* o bapurau losin yn sillafu'r gair *Mwydyn?* Y grib gafodd *e* gan Alun Nadolig diwetha? Doedd e erioed wedi'i defnyddio.

Aha. Roedd Alun yn hoffi bwnis. Yr anrheg orau i Alun oedd llun cwningen.

40

Chymerodd hi fawr o amser i Henri
dynnu llun bwni a'i lliwio ag ychydig
o streipiau glas. Yna fe sgrifennodd
ei enw mewn llythrennau mawr ar y
gwaelod. Pan dyfa i i fyny, falle dylwn
i fod yn arlunydd enwog yn lle bardd,
meddyliodd, gan edmygu'r llun. Roedd
Henri wedi clywed bod arlunwyr yn cael
arian mawr am godi tŵr brics, neu daflu
paent at gynfas gwyn. Roedd hi'n braf
bod yn arlunydd, achos roedd gyda chi
ddigon o amser i chwarae gêmau ar y
cyfrifiadur.

Gollyngodd Henri Helynt ei anrhegion
o dan y goeden Nadolig ac ochneidio'n
hapus. Y Nadolig hwn, am unwaith,
byddai Henri'n derbyn llawer mwy nag
oedd e'n roi. Hwrê! Beth allai fod yn
well?

3

TRAP HENRI HELYNT

Noswyl Nadolig
(dim ond ychydig o oriau ar ôl!)

Roedd hi'n Noswyl Nadolig o'r diwedd.
Roedd pob munud yn teimlo fel awr.
Roedd pob awr yn teimlo fel blwyddyn.
Sut gallai Henri fyw tan fore Nadolig,
pryd y câi fachu'i anrhegion?

Roedd Mam a Dad yn coginio ar ras
wyllt yn y gegin.

Roedd Alun Angel yn eistedd yn ymyl y
goeden Nadolig ddisglair yn crafu nodau
'Tawel Nos' drosodd a throsodd ar ei *cello*.

'Alli di ddim chwarae rhywbeth arall?'
chwyrnodd Henri.

43

'Na,' meddai Alun, a dal i lifio. 'Dyma'r unig garol dwi'n gallu chwarae. Symuda i ffwrdd, os nad wyt ti'n ei hoffi hi.'

'Symuda di,' meddai Henri.

Chymerodd Alun ddim sylw.

'Taaaaaaa-wel Noooooos,' sgrechiodd y *cello*.

AAAAAAAA.

Gorweddodd Henri ar y soffa a'i fysedd yn ei glustiau, ac edrych unwaith eto ar yr anrhegion roedd e wedi'u dewis o gatalog Teganau Tan Gamp. Roedd sawl X fawr goch ar bob tudalen, i atgoffa wyddost-ti-pwy am yr holl deganau roedd raid i Henri'u cael. O, gobeithio bod y teganau hynny i gyd wedi neidio'n grwn o'r catalog ac i mewn i sach Santa. Wedi'r cyfan, beth allai fod yn well na gweld pentwr mawr sgleiniog o deganau ar fore Nadolig, a sylweddoli mai ti biau nhw i gyd?

O gobeithio, am unwaith, y byddai'n cael popeth roedd e eisiau.

Roedd ei lythyr at Siôn Corn yn berffaith glir.

Annwyl Siôn Corn,

Dwi eisiau llwyth enfawr enfawr enfawr o arian, achos ches i fawr ddim yn fy hosan llynedd. A byddai'n braf cael Siwpyr-Sgrechydd Gofod Robomatig Uwchsonig, a'r atodiadau hefyd. Dwi wedi gofyn am hwn o'r blaen, os wyt ti'n cofio!!! A chit ymladd y Lladdwr Lloerig. Dwi eisiau llwyth o Sleim Gloyw a chomics a phoster Macs Melltith a'r Deinosor Sapatron Hip-Hop. Dyma dy gyfle ola di.

Henri

ON. Dyw satswmas DDIM yn anrhegion!!!!!
OON. Mae Alun wedi gofyn i fi ddweud wrthot ti am roi ei anrhegion i gyd i fi, achos dyw e ddim eisiau dim.

Pam oedd hi mor anodd i Siôn Corn ddod â'r anrhegion cywir? Roedd e wedi gofyn am y Sgrechydd Gofod llynedd, ond chyrhaeddodd e ddim. Yn ei le roedd Henri wedi cael … fest. A macynau poced. A llyfrau. A dillad. A - blyyyych - jig-so a rhaff sgipio a gwn dŵr pitw bach yn lle'r un enfawr y gofynnodd Henri'n benodol amdano. Iych! Yn amlwg roedd angen help ar Siôn Corn. Help gan Henri!

Mae Siôn Corn yn mynd yn hen ac yn fusgrell, meddyliodd Henri. Falle na chafodd e fy llythyron i. Falle'i fod e wedi colli'i sbectol ddarllen. Neu – am beth ofnadwy – falle'i fod e'n mynd ag

anrhegion Henri i ryw Henri arall. Iiich!
Ar yr union funud hon falle bod rhyw
Henri iychi diflas yn chwarae â chleddyf,
tarian, bwyell a fforch dridant y Lladdwr
Lloerig. Falle'i fod e'n cael hwyl yn
chwarae â Gorilas Samurai'r Gofod. Roedd
hi mor annheg!

Ac yna'n sydyn fe gafodd Henri syniad
gwych, anhygoel. Pam na feddyliodd e
am hyn yn gynt? Fyddai dim rhaid iddo
boeni am ei anrhegion byth mwy. Roedd
anrhegion yn rhy bwysig i'w rhoi yng
ngofal Siôn Corn. Gan fod Siôn Corn yn
methu dod â'r anrhegion cywir, doedd dim
dewis gan Henri. Rhaid gosod trap i Siôn
Corn.

Ieeee!

Roedd e'n mynd i ddal Siôn Corn a'i
fygwth â'r Sleim-Sblatiwr, tra'n chwilota
yn ei sach am yr holl anrhegion oedd ar ei
restr. Neu falle byddai'n cadw popeth oedd

yn y sach. Byddai *hynny*'n deg iawn.

Nawr 'te, meddyliodd Henri. Un go gyfrwys oedd Siôn Corn, felly rhaid gosod rhes o drapiau yn ei stafell wely. Wedyn, pan fyddai wyddost-ti-pwy'n cripian i mewn i lenwi'r hosan ar droed y gwely, gallai Henri neidio i fyny a'i ddal. Roedd hi'n hen bryd i Siôn Corn egluro pam oedd e wastad yn rhoi cnau Ffrengig a satswmas yn yr hosan yn lle siocled ac arian sychion.

Felly, p'un oedd y ffordd orau i'w ddal?

Ystyriodd Henri.

Bwced o ddŵr uwchben y drws.

Rhaff sgipio wedi'i thynnu'n dynn ar draws y drws agored, yr union beth i faglu tresmaswyr.

Cortyn yn cris-croesi fel gwe o'r gwely i'r drws a chlychau'n hongian oddi arno, i ddal ymwelwyr y nos.

Heb anghofio'r clustogau ffiw-whiw,

Deffrodd Henri Helynt yn sydyn.

AAAAAAA! Roedd e wedi syrthio i gysgu. Sut oedd y fath beth yn bosib? Â'i wynt yn ei ddwrn goleuodd Henri'r lamp. Whiw. Roedd y trapiau'n dal yn eu lle. Roedd ei hosan yn wag. Doedd Siôn Corn ddim wedi galw eto.

Waw, dyna lwcus. Lwcus dros ben. Gorweddodd Henri'n ôl a'i galon yn curo'n wyllt.

Ac yna fe gafodd Henri Helynt syniad erchyll.

Beth os oedd Siôn Corn wedi penderfynu bod yn sbeitlyd a *gwrthod* galw yn stafell Henri eleni? Neu beth os oedd e wedi chwarae tric slei ar Henri ac wedi llenwi'r hosan *lawr staer* yn lle?

Na. Dim byth.

Ond arhoswch funud. Pan oedd Siôn Corn yn galw yn nhŷ Huw Haerllug, roedd e bob amser yn llenwi'r sanau lawr

staer. Ac erbyn meddwl, roedd Bethan
Bigog bob amser yn gadael ei hosan lawr
staer hefyd, ac yn ei hongian ar y lle tân
ac nid o droed y gwely, fel roedd Henri'n
gwneud.

Edrychodd Henri Helynt ar y cloc.
Roedd hi wedi hanner nos. Roedd Mam
a Dad wedi'i rybuddio i beidio â mynd
lawr staer tan y bore, neu fe fydden
nhw'n mynd â'i anrhegion i ffwrdd ac yn
gwrthod gadael iddo wylio'r teledu am
ddiwrnod cyfan.

Ond roedd hwn yn argyfwng. Roedd
e'n mynd i gripian i lawr, cael sbec sydyn i
wneud yn siŵr nad oedd e wedi colli Siôn
Corn, ac yna rhedeg yn ôl i'r gwely mewn
chwinciad.

Fydd neb byth yn gwybod, meddyliodd
Henri Helynt.

Cripiodd Henri heibio'r clustogau ffiw-
whiw, neidio dros y llinynnau cris-croes,

camu dros y rhaff sgipio a sleifio'n ofalus drwy'r drws heb symud y bwced. Yna fe gripiodd lawr staer.

Cripio
   Cripio
      Cripio

Sgubodd golau tortsh Henri dros y stafell fyw. Doedd Siôn Corn ddim wedi bod. Doedd dim wedi newid yn y stafell fyw er pan aeth e i'r gwely.

Heblaw un peth. Disgleiriodd tortsh Henri ar y goeden Nadolig, a'r llwyth o santas siocled, clychau siocled a cheirw siocled oedd yn hongian o'i brigau. Rhaid bod Mam a Dad wedi'u rhoi ar y goeden ar ôl iddo fynd i'r gwely.

Edrychodd Henri Helynt ar y llanast o siocled ar y goeden Nadolig. Dyna drueni, meddyliodd Henri

Helynt, mae'r siocled yn difetha patrwm yr addurniadau hyfryd. Roedd hi bron yn amhosib gweld y peli a'r tinsel roedd e ac Alun wedi'u hongian mor ofalus.

'Haia, Henri,' meddai un o'r santas siocled. 'Wyt ti am ein bwyta ni?'

'Dere, Henri,' meddai'r clychau siocled. 'Mae'n siŵr dy fod ti.'

'Pam wyt ti'n oedi, Henri?' gofynnodd y ceirw siocled.

Pam wir? Wedi'r cyfan, mi *roedd* hi'n Nadolig.

Cymerodd Henri santa neu dri o'r ochr, a dau arall o'r cefn. Hmmm, waw, am siocled blasus, meddyliodd, a'u stwffio i'w geg.

Wps. Nawr roedd un hanner y goeden yn wahanol i'r llall.

Gwell i fi gymryd santas o'r tu blaen ac ambell un o'r ochr arall, i unioni pethau, meddyliodd Henri. Wedyn fydd neb yn

sylwi bod rhai o'r siocledi wedi diflannu.

Bwytodd Henri a sglaffio a llowcio. Waw, roedd y siocledi mor iymi!!!

Ond roedd y goeden yn edrych braidd yn foel, meddyliodd Henri ymhen ychydig. Roedd llygaid barcud gan Mam, felly roedd hi'n siŵr o sylwi bod rhai siocledi – wel, y siocledi i gyd – wedi diflannu. Gwell rhoi rhagor o beli ar y goeden i guddio'r bylchau. A thra oedd e'n gwella'r goeden, beth am symud y dylwythen ddwl a rhoi'r Lladdwr Lloerig yn ei lle?

Llwythodd Henri ragor o addurniadau

ar y brigau. Cyn hir roedd cymaint o beli
a thinsel ar y goeden, doedd dim gwyrdd
i'w weld. Fyddai neb yn sylwi
bod y siocledi wedi mynd.
Yna fe ddringodd Henri ar
gadair, taflu'r dylwythen, a chan sefyll ar
flaenau'i draed, fe ddododd y Lladdwr
Lloerig ar frigyn uchaf y goeden, yn union
lle dylai fod.

Perffaith, meddyliodd Henri Helynt,
gan neidio oddi ar y gadair a chamu'n ôl
i edmygu'i waith. Hollol, hollol berffaith.
Hon oedd y goeden orau erioed, diolch i
Henri.

58

Yna fe ddaeth gwich ofnadwy. Ac un arall. Ac yn sydyn…

CLEC!

Cwympodd y goeden Nadolig.

Stopiodd calon Henri Helynt.

Ar y llofft roedd Mam a Dad yn symud.

'Oi! Pwy sy lawr fan'na?' gwaeddodd Dad.

DIANC!!! meddyliodd Henri Helynt. Dianc am dy fywyd!!

Rhedodd Henri Helynt yn gyflymach nag erioed o'r blaen, i fyny'r grisiau ac i'w

stafell cyn i Mam a Dad ei ddal. O, plîs,
meddyliodd Henri, gadewch i fi gyrraedd
mewn pryd. Wrth i Henri ddiflannu
drwy'i ddrws, agorodd drws stafell wely ei
rieni. Ond roedd e wedi dianc. Roedd e'n
ddiogel.

SPLASH! Disgynnodd y bwcedaid
o ddŵr dros ei ben.

CLEC! Baglodd Henri Helynt dros y
rhaff sgipio.

BANG! CRATSH!
DING! DING! canodd y clychau.
FFFIWWWWW!
chwythodd y clustogau ffiw-whiw.

'Beth sy'n digwydd fan hyn?' sgrechiodd Mam, a'i lygadu'n wyllt.

'Dim,' meddai Henri Helynt, oedd yn gorwedd ar lawr yn wlyb sopen ac edau a weiars a rhaff wedi'u lapio amdano. 'Clywes i sŵn lawr staer a chodes i i weld beth oedd yn bod,' meddai'n ddiniwed.

'Mae'r goeden wedi cwympo,' galwodd Dad. 'Roedd gormod o bethau'n hongian arni, siŵr o fod. Paid â phoeni. Fe ofala i amdani.'

'Cer 'nôl i'r gwely, Henri,' meddai Mam yn flinedig. 'A phaid â chyffwrdd â'r hosan tan y bore.'

Edrychodd Henri. Daliodd ei wynt. Roedd ei hosan yn foliog a llawn dop. Y sleifyn, meddyliodd Henri Helynt yn grac. Sut oedd e wedi gwneud hyn? Sut oedd e wedi osgoi'r trapiau?

Gwylia di, Siôn Corn, meddyliodd Henri Helynt. Fe ddalia i di'r flwyddyn nesaf.

4

CINIO NADOLIG HENRI HELYNT

Rhagfyr 25 (o'r diwedd!)

'O, macynau poced, dyna'n union beth o'n i eisiau,' meddai Alun Angel. 'Diolch yn fawr *iawn*.'

'O na, macynau poced *eto*,' cwynodd Henri Helynt, gan daflu'r macynau i ffwrdd a rhwygo'r papur oddi ar yr anrheg nesaf yn ei bentwr.

'Paid â rhwygo'r papur lapio,' gwichiodd Alun Angel.

Rhwygodd Henri'r bocs anrheg ac ochneidio.

Iych! (pen, pensil, a ffon fesur). Iych (geiriadur). Iych (menig). Ocê (£15 – ond dim hanner digon). Yyyyy (tei bô pinc oddi wrth Anti Gwen). Yyyyy (mintys). Iym (tun enfawr o siocledi). Da (pum marchog arall ar gyfer ei fyddin). Da iawn (tâl aelodaeth Clwb Ffans yr Iyyych-Pych)…

A (da iawn iawn) fforch dridant y Lladdwr Lloerig…a….

A…ble oedd y gweddill?

'Oes 'na ddim rhagor?' sgrechiodd Henri.

'Dwyt ti ddim wedi agor fy anrheg i, Henri,' meddai Alun. 'Gobeithio y byddi di'n ei hoffi.'

Rhwygodd Henri'r papur lapio. Y tu mewn roedd Calendr Meleri a'r Plant Perffaith.

'Y! Iychi,' meddai Henri. 'Dim diolch.'

'Henri!' meddai Mam. 'Nid fel'na mae derbyn anrheg.'

'Dim ots gen i,' cwynodd Henri Helynt.
'Ble mae'r Deinosor Sapatron Hip-hop?
A ble mae gweddill cit ymladd y Lladdwr
Lloerig? Dim ond fforch dridant ges i. O'n
i eisiau popeth.'

'Blwyddyn nesa falle,' meddai Mam.

'Ond dwi eisiau nhw nawr!' llefodd
Henri.

'Henri, dyw "eisiau", ddim yn "cael",'
meddai Alun. 'Ydw i'n iawn, Mam?'

'Yn hollol iawn,' meddai Mam. 'A dwi
ddim wedi dy glywed di'n dweud diolch,
Henri.'

Syllodd Henri
Helynt yn gas
ar Alun, ac yna
ymosod. Roedd
e'n gacynen
enfawr yn lladd
mwydyn â'i
phigyn.

'WAAAAAAA!' sgrechiodd Alun.

'Henri! Stopia hi neu–'

DING! DONG!

'Maen nhw wedi cyrraedd!' gwaeddodd Henri Helynt gan neidio i fyny a gollwng ei brae. 'Rhagor o anrhegion i fi!'

'Aros, Henri,' meddai Mam.

Ond rhy hwyr. Rhedodd Henri at y drws a'i daflu led y pen ar agor.

O'i flaen safai Mam-gu a Tad-cu, Ffion Ffyslyd, Penri Plorod, a Carys Cyfog.

'Dewch â'r anrhegion i fi!' sgrechiodd, a chipio llond bag o anrhegion lliwgar o law Mam-gu a'u gwasgaru dros y llawr. Nawr ble oedd yr anrhegion â'i enw e arnyn nhw?

'Nadolig Llawen i chi i gyd,' meddai Mam yn sionc. 'Henri, paid â bod yn anfoesgar.'

'Dwi ddim yn anfoesgar,' meddai Henri. 'Chwilio am fy anrhegion ydw i. Waw, arian!' meddai Henri â gwên fawr. 'Diolch, Mam-gu! Ond allech chi ddim rhoi punt neu ddwy arall i fi a–'

'Henri, paid â bod yn ddrwg!' chwyrnodd Dad.

'Gad i'r ymwelwyr dynnu'u cotiau,' meddai Mam.

'Bliiiich' meddai Carys Cyfog, a thaflu i fyny dros Penri.

'Iiiich!' meddai Ffion.

Daeth yr oedolion i gyd i'r stafell fyw i agor eu anrhegion.

'Alun, diolch yn fawr i ti am y persawr.

Hwn yw fy ffefryn,' meddai Mam-gu.

'Dwi'n gwybod,' meddai
Alun.

'A dyna gomic hyfryd,
Henri,' meddai Mam-
gu. 'Macs Melltith yw
fy ... mm ... ffefryn.'

'Diolch yn fawr,
Henri,' meddai Tad-
cu. 'Mae'r comic yn
edrych yn ... ddiddorol iawn.'

'Dwi eisiau fe'n ôl ar ôl i chi orffen,'
meddai Henri.

'Henri!' meddai Mam, a syllu arno'n gas.

Am ryw reswm doedd Ffion ddim yn
falch iawn o'i hanrheg hi.

'Iiich!' gwichiodd
Ffion. 'Mae ... blew
yn y sebon.' Tynnodd
allan flewyn hir du.

'Roedd y blewyn yn

68

cael ei roi am ddim,' meddai Henri Helynt.

'Byddwn ni'n prynu past dannedd i ti flwyddyn nesa, y cnaf bach,' mwmianodd Penri Plorod o dan ei anadl.

Wir, roedd hi'n amhosib plesio rhai pobl, meddyliodd Henri Helynt yn grac. Roedd e wedi rhoi bar gwych o sebon i Penri, a doedd e ddim yn edrych yn hapus o gwbl. Meddwl am rywun arall oedd yn bwysig, meddai Mam, ond yn amlwg doedd hynny ddim yn gweithio.

'Pennill,' meddai Mam. 'Henri, dyna hyfryd.'

'Darllen e'n uchel,' meddai Tad-cu.

'Annwyl Mam fach gam
Rwyt ti'n dew fel jam
Pen-ôl fel pram
Neu dun o...'

'Nes ymlaen falle,' meddai Mam.

'Pennill arall,' meddai Dad. 'Gwych!'
'Dere i ni gael clywed,' meddai Mam-gu.

'Annwyl Dad trwyn-hir-'

...ac felly ymlaen,' meddai Dad, a phlygu
pennill Henri'n gyflym.

'O,' meddai Ffion, a syllu ar y bowlen
grisial siâp broga gafodd hi gan Mam a
Dad. 'Dyna beth od. Mae hon yn edrych

yn debyg iawn i'r bowlen rois *i*'n anrheg i
Anti Gwen Nadolig diwetha.'

'Am gyd-ddigwyddiad,' meddai Mam, a'i
bochau'n goch.

'Rydych chi'ch dwy'n hoffi 'run pethau, mae'n rhaid,' meddai Dad yn gyflym.

Rhoiodd Dad haearn smwddio i Mam.

'O, haearn. Dyna'n union beth o'n i eisiau,' meddai Mam.

Rhoiodd Mam fenig ffwrn i Dad.

'O, menig ffwrn. Dyna'n union beth o'n i eisiau,' meddai Dad.

Rhoiodd Penri Plorod ddril enfawr i Ffion Ffyslyd.

'Iiich,' gwichiodd Ffion. 'Beth yw hwn?'

'O, Siwpyr Megawatt Dril-o-matig 670 XM3 yw hwnna,' meddai Penri, 'ac mae 'na ddarnau ffantastig sy'n ffitio iddo. Fe gei di'r rheiny ar dy ben-blwydd.'

'O,' meddai Ffion.
Rhoiodd Mam-gu
fyg hyfryd i Tad-cu
i ddal ei ddannedd
gosod.

Rhoiodd Tad-
cu gap cawod a
phecyn enfawr o
ddwsteri i Mam-gu.

'Dyna anrhegion gwych!' meddai Mam.

'Ie,' meddai Alun Angel. 'Ro'n i'n hoffi
pob un o'm anrhegion i, yn enwedig y
satswmas a'r cnau Ffrengig yn fy hosan.'

'Do'n i ddim,' meddai Henri.

'Henri, paid â bod yn gas,' meddai Dad.
'Pwy sy eisiau mins pei?'

'Rhai Mam ydyn nhw, neu rhai'r siop?'
gofynnodd Henri.

'Rhai Mam wrth gwrs,' meddai Dad.

'Iych,' meddai Henri.

'Www,' meddai Ffion. 'Paid, Carys!' gwichiodd wrth i Carys daflu i fyny dros y plât.

'Dim ots,' meddai Mam a gwasgu'i dannedd yn dynn. 'Mae mwy yn y gegin.'

Roedd Henri Helynt wedi diflasu. Roedd Henri Helynt wedi cael llond bol. Roedd e wedi agor ei anrhegion i gyd. Roedd ei rieni wedi mynnu ei fod e'n mynd am dro hir a diflas. Roedd Dad wedi cuddio fforch dridant y Lladdwr, ar ôl iddo drywanu Alun.

Felly, beth nesa?

Roedd Tad-cu'n chwyrnu yn y gadair freichiau, ei bibell yn ei geg a'i goron dinsel yn disgyn dros ei wyneb.

Roedd Ffion Ffyslyd a Penri Plorod yn methu penderfynu tro pwy oedd hi i

newid cewyn drewllyd Carys, ac yn ffraeo.

'Iiich,' meddai Ffion. 'Fi newidiodd hi ddiwetha.'

'Na, fi,' meddai Penri.

'WAAAAAAAA!' sgrechiodd Carys Cyfog.

Roedd Alun Angel yn gwylio Dwmplen Malwoden yn llithro dros sgrin y teledu.

Cipiodd Henri Helynt reolwr y teledu a newid y sianel.

'Hei, o'n i'n gwylio hwnna!' protestiodd Alun.

'Caws caled,' meddai Henri.

74

Nawr 'te, beth oedd ar y sianel hon? 'Tra la la la…' Iych! Daffo a'i Diliau'n Dawnsio.

'Stop! Dwi eisiau gwylio hwnna!' llefodd Alun.

Clic. '…ac mae pawb ar bigau'r drain wrth i'r beirniaid gymharu tomatos wedi'u tyfu…' Clic! 'Dymunwn Nadolig Llawen, dymunwn…' Clic! 'Mae eglwys gadeiriol Chartres yn un o ryfeddodau…' Clic! 'HA HA HA HA HA HA HA HA.' Opera! Clic! Pam doedd dim byd o werth ar y teledu? Dim byd ond ffilm fabïaidd am geir yn canu.

Roedd Henri wedi gweld honno filiwn o weithiau'n barod.

'Dwi wedi diflasu,' cwynodd Henri. 'A dwi'n llwgu.' Crwydrodd i mewn i'r gegin, oedd yn edrych fel petai corwynt wedi sgubo drwyddi.

'Pryd mae cinio? O'n i'n meddwl ein bod ni'n bwyta am ddau. Dwi'n llwgu.'

'Cyn bo hir,' meddai Mam. Roedd hi'n edrych braidd yn wyllt.

'Mae 'na rywbeth bach yn bod ar y ffwrn.'

'Felly pryd mae cinio?' rhuodd Henri.

'Pan fydd e'n barod!' rhuodd Dad.

Arhosodd Henri. Ac aros. Ac aros.

'Pryd mae cinio?' gofynnodd Ffion.

'Pryd mae cinio?' gofynnodd Penri.

'Pryd mae cinio?' gofynnodd Alun.

'Cyn gynted ag y bydd y twrci'n barod,' meddai Dad. Agorodd ddrws y ffwrn. Rhoddodd broc bach i'r twrci. Aeth ei wyneb yn wyn.

'Dyw e ddim yn coginio o gwbl,' sibrydodd.

'Edrych a yw'r gwres yn ddigon uchel,' meddai Mam-gu.

Edrychodd Dad.

'Wps,' meddai Dad.

'Dim ots, gallwn ni ddechrau ar y sbrowts,' meddai Mam yn llon.

'Nid fel'na mae paratoi sbrowts,' meddai Mam-gu. 'Rwyt ti'n gwastraffu gormod o ddail.'

'Iawn, Mam,' meddai Dad.

'Nid fel'na mae gwneud sôs bara,'
meddai Mam-gu.

'Iawn, Mam,' meddai Dad.

'Nid fel'na mae gwneud stwffin,' meddai
Mam-gu.

'Iawn, Mam,' meddai Dad.

'Nid fel'na mae rhostio tatws,' meddai
Mam-gu.

'Mam!' gwichiodd Dad. 'Gad lonydd i fi!'

'Paid â bod yn gas,' meddai Mam-gu.

'Dwi ddim yn gas,' meddai Dad.

'Dewch, Mam-gu, dewch i gael diod
fach neis, a gadael y cogydd i wneud ei
waith,' meddai Mam, a llywio Mam-gu'n
benderfynol tuag at y stafell fyw. Yna fe
safodd hi'n stond.

'Oes rhywbeth yn llosgi?' gofynnodd
Mam, a sniffian.

Edrychodd Dad ar y ffwrn.

'Popeth yn iawn fan hyn.'

Daeth sgrech o'r stafell fyw.

'Tad-cu yw e!' gwaeddodd Alun Angel.

Rhedodd pawb i mewn.

Roedd Tad-cu'n cysgu yn ei gadair.

Roedd colofn denau o fwg du'n codi o'r breichiau. Roedd ei goron bapur yn hongian dros ei  bibell ac yn mygu.

'Yyyy…be?' mwmianodd Tad-cu, wrth i Mam ymosod arno â'i brws. 'AAAAAAAAA!' poerodd wrth i Dad daflu dŵr drosto.

'Pryd mae cinio?' sgrechiodd Henri Helynt.

'Pan fydd e'n barod,' sgrechiodd Dad.

★

79

Roedd hi'n dywyll pan eisteddodd teulu
Henri wrth y bwrdd i gael eu cinio o'r
diwedd. Roedd bol Henri'n rymblan
yn ddigon uchel i ddymchwel y waliau.
Rhedodd Henri ac Alun am y cyntaf i
fachu'r gadair yn erbyn y wal, yr un bellaf
o'r gegin.

'Cer i ffwrdd!' gwaeddodd Henri.

'Fy nhro i yw hi i eistedd fan hyn,'
llefodd Alun.

'Fy nhro i!'

'Fy nhro i!'

Slap!

Slap!

'WAAAAAAAAAAA!' udodd Henri.

'WAAAAAAAAAAA!' llefodd Alun.

'Tawelwch!' sgrechiodd Dad.

Daeth Mam â chelyn ac eiddew ffres i
addurno'r ford.

'Hyfryd,' meddai Mam, a gosod rhes o
frigau ar hyd y canol.

'Nadoligaidd iawn,' meddai Mam-gu.

'Dwi'n llwgu!' llefodd Henri Helynt.

'Swper Nadolig yw hwn, nid cinio Nadolig.'

'Shhh,' meddai Tad-cu.

Roedd y twrci'n barod o'r diwedd.
Roedd plateidiau o stwffin, sbrowts,
llugaeron, sôs bara a phys.

'Arogl hyfryd,' meddai Mam-gu.

'Mmmmm, iym,' meddai Tad-cu. 'Am wledd.'

Roedd Henri'n ddigon llwglyd i fwyta'r lliain bwrdd.

'Dewch i ni ddechrau!' meddai.

'Ara deg, dwi'n dod â'r tatws rhost,' meddai Dad. Roedd stêm yn codi o'r tatws poeth, wrth i Dad gario'r ddysgl wydr yn ei fenig ffwrn newydd, a'i gosod ar ganol y bwrdd.

'*Voilà!*' meddai Dad. 'Nawr pwy sy eisiau cig tywyll a phwy…?'

'Be sy'n cripian…aaaaaaaa!' sgrechiodd Ffion. 'Mae corynnod ym mhobman.'

Roedd miliynau o gorynnod pitw'n disgyn o'r celyn ac yn cripian dros y bwrdd a thros y bwyd.

'Peidiwch â phoeni!' gwaeddodd Penri Plorod, gan neidio o'i gadair. 'Dwi'n gwybod beth i wneud. Fe-'

Ond cyn iddo wneud unrhyw beth fe ffrwydrodd y bowlen wydr oedd yn dal y tatws rhost.

83

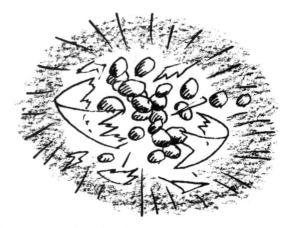

GRATSH!

'IIIIIIICH!' sgrechiodd Ffion.

Syllodd pawb ar y darnau o wydr yn disgleirio ar y bwrdd ac ar y bwyd.

Suddodd Dad i'w gadair a chuddio'i lygaid.

'Sut mae cael gafael ar ragor o fwyd?' sibrydodd Mam.

'Dwi ddim yn gwybod,' mwmianodd Dad.

'Dwi'n gwybod,' meddai Henri Helynt. 'Dewch i ni ddechrau gyda'r pwdin

Nadolig, ac wedyn cael pitsas o'r rhewgell.'

Agorodd Dad ei lygaid.

Agorodd Mam ei llygaid.

'Mae hwnna,' meddai Dad, 'yn syniad ardderchog.'

'Dwi'n teimlo fel darn o bitsa,' meddai Tad-cu.

'A fi,' meddai Mam-gu.

Gwenodd Henri'n falch. Anaml iawn oedd pobl yn canmol ei syniadau gwych.

'Nadolig Llawen i bawb,' meddai Henri Helynt. 'Nadolig Llawen.'